SILLY 笨笨熊
cute bear

胡媛媛 编著

0-3岁行为习惯绘本·第一辑

不哭不哭

廣東旅游出版社
GUANGDONG TRAVEL & TOURISM PRESS

中国·广州

丫丫是个爱哭鼻子的小女生，
摔跤了会哭……

找不到洋娃娃会哭……

3

比赛输了会哭……

一个人睡觉也会哭……

总之，丫丫每天都会哭。

周末，妈妈带丫丫
去公园玩。

"哇，妈妈，妈妈，你看，
摩天轮真高啊！"

9

"宝贝，你想坐摩天轮吗？"
"想，想，我想坐摩天轮！"

"妈妈去买票，
你要乖乖站在这里
排队哟！"
"嗯嗯！"

妈妈怎么还没来？丫丫想着想着，眼泪"吧嗒吧嗒"掉了下来。

"丫丫，不哭不哭！看，妈妈买到票了！"

这队怎么这么长，我们都排好久了。丫丫等着等着，眼泪又"吧嗒吧嗒"掉了下来。

"丫丫，不哭不哭！
瞧，马上就到我们了！"

哎呀,摩天轮怎么转得这么高,好害怕呀。"吧嗒吧嗒",丫丫的眼泪止也止不住地掉了下来。

"丫丫,不哭不哭!摩天轮马上就要转下去了!"

17

妈妈给丫丫买来
冰激凌，牵着她坐
到石凳上。

18

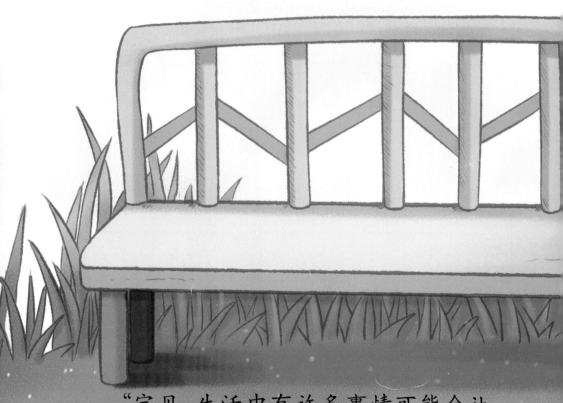

"宝贝,生活中有许多事情可能会让你哭泣,比如生气、害怕、委屈、受伤……"

"但是，这些事情是不是都需要用眼泪来解决呢？宝贝，你要学会控制自己的情绪，学会坚强……"

丫丫点点头，正在这时，"啪"的
一声，吃到一半的冰激凌掉地上了。

丫丫的眼睛顿时红了，但她"哼哼"了两声，竟然没哭。

从这天起，丫丫变了，她周围
"不哭不哭"的安慰越来越少了。